OPENBARE BIBLIOTHEEK
BIJLMER
Frankemaheerd 2
1102 AN Amsterdam
Tel.: 020 - 697 99 16

De drie dwergen

Anton van der Kolk

De drie dwergen

Tekeningen van
Harmen van Straaten

OPENBARE BIBLIOTHEEK
BIJLMER
Frankemaheerd 2
1102 AN Amsterdam
Tel.: 020 - 697 99 16

Zwijsen

Bollebooslogo, illustratie achterkant omslag en schutbladen: Gertie Jaquet
Vormgeving: Rob Galema

Boeken met dit vignet zijn op niveaubepaling geregistreerd en gecontroleerd door KPC-groep te ’s-Hertogenbosch

1e druk 2004

ISBN 90.276.7752.2
NUR 282

© 2004 Tekst: Anton van der Kolk
Illustraties: Harmen van Straaten
Uitgeverij Zwijsen Algemeen B.V. Tilburg

Voor België:
Zwijsen-Infoboek, Meerhout
D/2004/1919/287

Behoudens de in of krachtens de Auteurswet van 1912 gestelde uitzonderingen mag niets uit deze uitgave worden verveelvoudigd, opgeslagen in een geautomatiseerd gegevensbestand, of openbaar gemaakt, in enige vorm of op enige wijze, hetzij elektronisch, mechanisch, door fotokopieën, opnamen of enige andere manier, zonder voorafgaande schriftelijke toestemming van de uitgever. Voorzover het maken van reprografische verveelvoudigingen uit deze uitgave is toegestaan op grond van artikel 16 h Auteurswet 1912 dient men de daarvoor wettelijk verschuldigde vergoedingen te voldoen aan de Stichting Reprorecht (Postbus 3060, 2130 KB Hoofddorp, www.reprorecht.nl). Voor het overnemen van gedeelte(n) uit deze uitgave in bloemlezingen, readers en andere compilatiewerken (artikel 16 Auteurswet 1912) kan men zich wenden tot de Stichting PRO (Stichting Publicatie- en Reproductierechten Organisatie, Postbus 3060, 2130 KB Hoofddorp, www.cedar.nl/pro).

Inhoud

1. Achter de schutting

Mijn naam is Stampertje. Ik ben een dwergkonijn. Tot ongeveer een halfjaar geleden woonde ik in een huis in een grote stad. Ik zat samen met Dodo in een hok. Dodo is ook een dwergkonijn, maar hij ziet er een beetje mal uit, want hij heeft hangoren.

Soms plaagde ik hem daarmee, want ik vind dat de oren van een konijn fier overeind moeten staan, zoals die van mij. Dodo's oren hingen slap langs zijn hoofd en soms lag er een oor voor zijn oog. Dat was zo'n raar gezicht. Daar moest ik erg om lachen, ik kon er niets aan doen.

Dodo plaagde mij weleens met mijn scheve kop. Die heb ik overgehouden aan een middenoorontsteking toen ik nog klein was. Het had weinig gescheeld of ik was eraan doodgegaan. Sinds die tijd weet ik dat ik niet alleen twee oren heb die fier overeind staan, maar ook nog een middenoor.

Soms vochten we met elkaar. Dat kon er zo ruig aan toegaan dat de haren in het rond vlogen. Maar ja, wat wil je. We zaten dag en nacht bij elkaar, dan kon de ergernis weleens toeslaan. Meestal ging het goed. We lagen vaak lekker dicht tegen elkaar aan en dan likte ik Dodo en Dodo likte mij.

We hadden twee hokken: een binnenhok in de woonkamer en een buitenhok op het plaatsje in de tuin. 's Winters, als het vroor, zaten we binnen, maar

het grootste deel van het jaar waren we buiten. Ons buitenhok stond altijd open, zodat we vrij in en uit konden lopen.

Het plaatsje was afgesloten met een schutting, waardoor we niet konden ontsnappen.

We kregen genoeg te eten en te drinken en ons hok werd elke week schoongemaakt. Alles ging dus goed, zou je misschien denken.

Maar soms sloeg de onrust toe, vooral tijdens heldere zomeravonden als we met zijn tweetjes buiten lagen en naar de sterrenhemel keken.

'Wat is het heelal groot, hè?' zei ik tegen Dodo, terwijl ik lekker tegen hem aankroop. 'Volgens mij is het oneindig en dat snap ik niet. Maar ook als het niet oneindig is, maar eindig, dan snap ik het niet. Want als het eindig is, wat is er dan achter?'

Dodo had er nog nooit over nagedacht, want hij is niet zo'n denkend konijn als ik.

Hij zei: 'Stampertje, hou op, want ik word er duizelig van.'

'Het is toch leuk om daarover na te denken?' zei ik. 'Ik denk ook weleens: zouden er planeten in de ruimte zijn waar konijnen leven, of wonen er alleen konijnen op de aarde?'

'Moet je eens luisteren Stampertje,' zei Dodo, 'we weten niet eens wat er allemaal op onze eigen aarde gebeurt, want daar hebben we maar heel weinig van gezien.'

Daar had Dodo gelijk in. We woonden op een heel klein plekje op de aarde en we wisten niet wat daarbuiten gebeurde.

'Jij zit te piekeren over het heelal, maar weet je waar ik over nadenk?' vroeg Dodo.

'Wij kunnen niet verder kijken dan de schutting, maar wat is erachter? Voor ons is de schutting het einde, maar achter de schutting is een nieuw begin, snap je wel?'

Misschien was Dodo toch een denkend konijn.

Wat was er achter de schutting?

Kijk, op dat soort momenten sloeg de onrust toe. Dan wilde ik weg, dan wilde ik achter de schutting kijken. Wat zou daar toch zijn?

2. Het verhaal van Lorenzo (1)

In het huis woonde ook een dwergpapegaai, die Lorenzo heette. Zijn kooitje stond overdag open, zodat hij vrij kon rondvliegen.

'Lorenzo, ben jij gelukkig hier?' vroeg ik op een dag.

Lorenzo zat op de vensterbank en tuurde naar buiten.

Lange tijd zei hij niets, toen draaide hij zijn koppie naar me toe en zei: 'Ik weet niet of ik weet wat geluk is.'

Ik hoorde duidelijk een verdrietig toontje in zijn stem. 'Ik zal je wat vertellen over mijn leven,' zei hij.

'Over je leven?' vroeg ik verbaasd. 'Ik weet toch alles over je leven? Je woont toch in hetzelfde huis als ik en Dodo?'

'Nu wel,' zei Lorenzo, 'maar vroeger, nog voordat jullie hier kwamen wonen, had ik een heel ander leven.'

Toen Dodo en ik in het huis kwamen wonen, was Lorenzo er al. Ik wist niet dat hij ooit ergens anders had gewoond.

'Luister,' zei Lorenzo, terwijl hij dromerig door de ruit naar een paar duiven keek.

'Voordat ik hier kwam, woonde ik in een dierenwinkel. Ik zat daar samen in een kooitje met een ander dwergpapegaaitje. Ze heette Lorenza en ze was zo mooi, zo mooi.'

Lorenzo keek me stralend aan.

'Ze had zulke schitterende ogen en zo'n mooi oranje-geel borstje,' zei hij, 'ik kon mijn ogen er niet van afhouden.'

Hij keek verdrietig naar buiten, waar de duiven achter de huizen verdwenen.

'Op een dag kwamen er twee mensen voor onze kooi staan; een jongetje met zijn moeder.

"Mama," zei het jongetje, "ik wil deze vogels. Kijk eens hoe mooi ze zijn."

Twee grote hoofden keken ons vanachter de tralies aan.

"Ja, ze zijn mooi," zei de moeder, "maar je krijgt er geen twee. Eentje is genoeg."

"Maar mama," zei het jongetje, "dat is toch zielig. Je moet ze alletwee kopen, want dan zijn ze niet alleen."

Je snapt dat wij, Lorenza en ik, stijf van de spanning op onze stokjes hipten. Het zou toch niet waar zijn dat ze ons uit elkaar gingen halen?

"Moet je eens goed luisteren, Wimmie," zei de vrouw. "Als ze met zijn tweeën zijn, zitten ze de hele dag te fluiten en te kwetteren, daar word ik horendol van. Misschien kunnen ze ook wel praten. Dan is het kabaal helemaal niet om aan te horen. Een vogeltje alleen is veel rustiger."

"Ja, maar mama," hield Wimmie vol, terwijl zijn hoofd rood aanliep. "Het is toch fijn voor ze als ze samen kunnen kwetteren?"

"Voor hen misschien wel," zei de vrouw. Ze keek

ons met koele ogen aan. "Maar ik ben het meest thuis dus heb ik er het meeste last van."

Toen deed ik iets heel doms. Ik had me zo zitten opwinden over die twee, dat ik me niet meer kon inhouden.

"Rot op!" riep ik. "Rot toch op!"

Wimmie moest erom lachen, maar de vrouw zei, als door een wesp gestoken: "Nou ja, wat een lelijke taal slaat dat beestje uit. Die wil ik beslist niet. Stel je voor dat er visite is en hij steeds *rot op* roept. Dat kan toch echt niet."

"Nou," zei Wimmie, "dan die ene maar," en hij wees naar Lorenza.

We hadden nauwelijks tijd om afscheid te nemen.

"Ik zal je missen," zei Lorenza en ze gaf me een laatste knuffel.

De verkoper van de dierenwinkel pakte haar uit ons kooitje en ze verdween uit mijn leven.'

Lorenzo was een tijdje stil en zei toen: 'Een paar dagen later werd ik uit de dierenwinkel gehaald en sindsdien woon ik hier. Er gaat geen dag voorbij dat ik niet aan Lorenza denk.'

Ik was erg onder de indruk van Lorenzo's verhaal.

'Tjonge,' zei ik, 'wat erg voor je. Ik wist het niet.'

Lorenzo schudde zijn kopje. 'Jij bent de eerste aan wie ik het vertel,' zei hij.

Ik zweeg, want ik kon geen woorden vinden om Lorenzo te troosten. Toen zei hij: 'Ik droom weleens dat ik uit dit huis ontsnap en dat ik haar weer vind. Dan voel ik me zo gelukkig.'

‘Dat is een mooie droom, Lorenzo,’ zei ik.

‘Ja,’ zei Lorenzo, ‘maar het zal wel altijd een droom blijven.’

3. Mensen ...

We werden verzorgd door het meisje Mo, dat samen met haar ouders in het huis woonde.

We wisten niet zo goed wat we van mensen moesten vinden.

'Zouden ze kunnen denken?' vroeg Dodo zich af.

'Ik weet het niet,' zei ik, terwijl ik mijn schouders ophaalde. 'Ik geloof niet dat er veel in hen omgaat.'

'Ze doen maar wat, volgens mij,' zei Dodo. 'Ze eten, ze drinken, ze lopen, ze maken geluiden; maar of daar ook bij nagedacht wordt ... Ik weet het niet.'

We wisten wel dat je mensen nooit helemaal kon vertrouwen.

Het probleem met mensen was ook dat wij hen wel konden verstaan, maar zij ons niet.

Het meisje Mo was meestal aardig, want ze gaf ons elke dag eten en drinken en maakte één keer per week ons hok schoon.

Soms nam ze ons op haar schoot, knuffelde ons en praatte met ons alsof we baby's waren.

'Ah, wat ben je toch een scheetje,' zei ze, terwijl ze me aaide. 'Wat ben je toch een poepiedrolletje.'

Ik liet haar maar begaan, want dat geaai vond ik wel lekker.

Maar ook haar konden we niet helemaal vertrouwen. Soms solde ze met ons alsof we speelgoedbeesten waren.

Ze pakte me eens in mijn nekvel; ik bungelde slap in de lucht en spartelde met mijn pootjes.

'Wat ben je toch een snoepertje, wat ben je toch een poepertje,' kraamde ze uit. Ze drukte me tegen zich aan en ik spartelde om los te komen. Plotseling liet ze me los, ik viel hard op de grond.

'Stampertje!' riep ze boos. 'Kijk nou eens wat je hebt gedaan, je hebt me helemaal opengekrabt.'

Ze pakte me op en hield mijn hoofd voor de krassen op haar arm.

'Zie je nu wat je hebt gedaan? Dat mag je nooit meer doen, Stampertje,' zei ze, 'dat is heel stout.'

Ze gaf me een tik op mijn kop en zei: 'Heb je dat goed begrepen?'

Ze schommelde me op en neer, zodat het net leek alsof ik 'ja' knikte.

'Goed dan,' zei Mo, 'nu zijn we weer vriendjes.'

Ze gaf me een kus op mijn neus en zette me terug in mijn hok.

Nee, je wist nooit precies wat je aan mensen had.

4. Duif Diederik

Op een dag waren we met zijn drieën buiten, want het was zulk mooi weer dat ook Lorenzo in zijn kooitje op het plaatsje mocht.

Plots streek er een duif neer in de tuin. Het was een heel dikke duif, nog dikker dan Dodo.

Hij ging zitten op het stuur van Mo's fiets, die op het plaatsje stond.

'Zo, zo,' koerde hij. 'Ik kom eens informeren hoe het met jullie gaat. Ik zie jullie vaak rondhuppelen en dan denk ik: ach, ach, die zitten opgesloten achter een hoge schutting en hebben geen benul van wat er zich in de rest van de wereld afspeelt.'

'Kom je ons een beetje beklagen?' vroeg ik.

'Kom, kom,' zei de duif. 'Zo steek ik niet in elkaar. Ik hou er niet van dat dieren opgesloten zijn. Ik kan misschien iets voor jullie betekenen.'

'Iets voor ons betekenen?' vroeg Dodo. 'En wat dan wel?'

De duif keek naar Lorenzo en zei: 'Ach, ach, moet je die nu zien. Mijn arme, gevleugelde maar gekooide vriendje. Zou jij niet eens je vlerken willen uitslaan en het luchtruim doorklieven?'

Je merkte wel dat een duif een heel ander dier was dan wij, want hij praatte heel vreemd. 'Vlerken', 'doorklieven'; ik kende de woorden niet, maar ik begreep wel ongeveer wat hij bedoelde.

Lorenzo begreep het ook en zei: 'Ik zou niets liever willen.'

'Kijk, kijk,' zei de duif, 'misschien kan ik dat wel voor je regelen.'

'Meen je dat?' vroeg Lorenzo. 'Maar hoe wil je ons hier weg krijgen?'

'Geloof me nu maar,' zei de duif, 'ik krijg jullie hier weg, maar eerst wil ik weten of jullie ook echt willen.'

'Ik ga alleen als Dodo en Stampertje ook meegaan,' zei Lorenzo. 'Zij zijn mijn vriendjes.'

'Zo, zo,' zei de duif, 'dat is mooi. Overigens, mijn naam is Diederik. Mag ik wat van jullie voer meepikken? Ik zie daar lekkere zaadjes, die lust ik ook wel.'

Zonder een antwoord af te wachten, streek de duif neer bij ons voederbakje en begon erin te pikken.

'En, en?' vroeg hij, terwijl de zaadjes in het rond vlogen. 'Kan ik wat voor jullie betekenen?'

We keken elkaar aan, Dodo en ik, maar nog voordat we iets konden zeggen, kwam Mo naar buiten en pakte het kooitje van Lorenzo.

'Het is tijd om weer naar binnen te gaan, Lorenzo,' zei ze. 'Het begint al wat af te koelen en daar kun je niet tegen.'

Toen ze de duif zag, zei ze: 'Kssst, jij! Blijf van het voer van Dodo en Stampertje af.'

Diederik vloog op en zei vanaf het dak van de buren: 'Ik kom binnenkort terug. Denk maar eens goed na over mijn voorstel, dag, dag.'

Mo pakte het kooitje van Lorenzo op en ging ermee naar binnen.

'Wat een rare snuiter,' zei Dodo. 'Hoe zou hij ons in 's hemelsnaam aan de andere kant van de schutting kunnen brengen. Het is allemaal bluf, zo denk ik erover.'

Ik zei niets, want ik kreeg weer een aanval van onrust bij de gedachte ooit de andere kant van de schutting te kunnen zien.

5. Het plan van Diederik

We vergaten duif Diederik, want het leek ons onmogelijk dat hij ons kon helpen ontsnappen. Maar een week later, toen we met zijn drieën buiten waren, streek hij opnieuw neer op het stuur van Mo's fiets.

'En, en … hebben jullie al nagedacht over mijn voorstel?' vroeg hij, terwijl hij met een schuin oog naar ons voer keek.

'Natuurlijk niet,' zei Dodo, 'het is immers onmogelijk.'

'Kom, kom, niets is onmogelijk,' zei Diederik. 'Willen jullie hier weg of willen jullie hier blijven?'

'Ik wil weg,' zei Lorenzo. 'We moeten op zoek naar de vrijheid.'

'Vrijheid, vrijheid, wat is vrijheid?' vroeg Dodo.

'Ach, ach,' zei Diederik, 'kijk naar mij en je weet wat vrijheid is. Vrijheid is dat je niet gevangen bent, en jullie zijn gevangen.'

'Zo heel erg gevangen zijn we niet,' zei Dodo, 'we kunnen buiten vrij rondlopen.'

Ik heb altijd willen weten wat er aan de andere kant van de schutting was. Maar nu het ons zo direct werd gevraagd, begon ik te twijfelen. We waren wel gevangen, maar echt slecht hadden we het niet.

'Zeg, zeg, mag ik overigens wat zaadjes uit jullie bakje meepikken?' vroeg Diederik.

'Ga je gang,' zei ik, 'maar vertel ons eerst hoe je ons hier weg wilt krijgen.'

'Nou, nou,' zei Diederik, 'ik weet niet zeker of het lukt, maar ik heb wel een plan.'

Hij streek neer op ons voederbakje en begon gulzig te eten.

'Zie je wel,' zei Dodo, 'het is allemaal bluf. Het is hem alleen maar om ons voer te doen.'

'Wel, wel,' zei Diederik, 'zo lukt het natuurlijk nooit, want voor mijn plan is vertrouwen noodzakelijk.'

'Moet je eens goed luisteren, Diederik,' zei ik. 'Ik wil graag meer van de wereld zien, dus kom nu maar eens op met je plan.'

'Oké, oké,' zei Diederik, 'dus jullie willen hier echt weg? Hebben jullie vertrouwen in mij en hebben jullie vertrouwen in jezelf?'

'Kom op met je plan, Diederik,' zei Dodo, 'dat gezeur over vertrouwen begint me te vervelen.'

'Goed, goed,' zei Diederik, 'laat ik beginnen met het makkelijkste karwei.'

Hij liep naar de kooi van Lorenzo en opende met zijn snavel het deurtje.

'Kijk, kijk,' zei hij, 'dat is één.'

Lorenzo was zo verbaasd over het gemak waarmee de duif zijn deurtje had geopend dat hij lange tijd stil op zijn stokje bleef zitten. Toen klom hij voorzichtig zijn kooitje uit, alsof hij bang was voor de vrijheid.

'Ik ben vrij,' zei hij. 'Ik ben vrij, ik ben vrij.' Hij sloeg zijn vleugels uit en vloog naar een boom aan de andere kant van de schutting.

‘Zo, zo,’ zei Diederik, ‘en nu jullie nog. Hebben jullie er vertrouwen in dat het ons samen lukt?’

Mijn hart bonkte zo dat mijn hele lijf op en neer ging. Zou het Diederik lukken om ons hier weg te krijgen, zouden we dan toch naar de andere kant van de schutting gaan?

‘Ja, Diederik,’ zei ik, ‘ik heb er vertrouwen in’ en Dodo stamelde ook: ‘Ja, Diederik, ja.’

6. Tussen de oren

'Wel, wel,' zei Diederik, 'het zit namelijk zo. Ik pak je in je nekvel en til je over de schutting.'

Hij vloog op Dodo af en pakte hem in zijn nekvel. 'Je moet wel een beetje meegeven,' zei Diederik. 'Wapper eens met je oren. Dat helpt vast.'

Dodo wapperde met zijn oren zo goed als hij kon.

'Springen!' riep Diederik.

'Ik kan alleen springen met een aanloop,' zei Dodo.

'Goed, goed,' zei Diederik, 'je moet springen en tegelijk met je oren wapperen.'

Dodo nam een aanloop, hij sprong en wapperde met zijn oren. Hij kwam los van de grond en Lorenzo tilde hem een stuk omhoog. Maar zo'n halve meter van de grond viel Dodo weer terug.

'Het lukt niet!' riep hij somber.

'Het zit tussen je oren,' zei Diederik, 'je moet denken dat je heel licht bent.'

'Tussen mijn oren? Licht denken?'

'Wat zit er tussen je oren als je die omhoog doet.'

'Niks. Lucht.'

'Precies, precies,' zei Diederik. 'Er zit lucht tussen je oren en lucht is licht. Je denkt: ik ben zo licht als lucht, ik ben zo licht als lucht.'

'Ik ben zo licht als lucht,' zei Dodo.

'We doen het opnieuw,' zei Diederik. 'Je neemt een aanloop, je wappert met je oren en je denkt: ik ben zo licht als lucht.'

'Allemaal tegelijk?' vroeg Dodo zorgelijk.

'Ja, ja, allemaal tegelijk,' zei Diederik.

Dodo nam weer een aanloop, hij wapperde met zijn oren en je kon hem zien denken dat hij zo licht was als lucht.

En waarachtig: daar zweefden Diederik en Dodo door de lucht, over de muur. Het was een gek gezicht, zo'n dikke duif met een dik konijn aan zijn pootjes.

'Ik ben zo licht als lucht, ik ben zo licht als lucht,' juichte Dodo.

'Zie je, zie je,' koerde Diederik, 'het zit allemaal tussen je oren.'

Toen liet hij Dodo los; ik hoorde een plofje achter de schutting en een zacht gekreun.

'Hiep hoi, hiep hoi!' juichte Diederik, 'het is me gelukt, mijn plan is geslaagd. Wat ben ik toch goed! Nu jij nog!'

Diederik pakte me bij mijn nekvel, ik nam een aanloop en ik wapperde met mijn oren.

'Ik ben zo licht als lucht, ik ben zo licht als lucht,' zei ik, terwijl ik mijn ogen stijf gesloten hield.

Ik voelde dat ik los kwam van de grond en toen ik mijn ogen weer opendeed, zweefde ik door de lucht en viel ik met een plofje naast Dodo neer.

We zaten aan de andere kant van de schutting beduusd om ons heen te kijken.

'Zo, zo,' zei Diederik, 'dat heb ik toch maar mooi voor jullie geregeld. Vanaf nu kunnen jullie gaan en staan waar jullie willen. De vrijheid lacht jullie tegemoet, dus neem het ervan. Hebben jullie me nog

nodig?'

'Nee hoor,' zei Lorenzo, 'we redden ons wel.'

'Goed, goed,' zei Diederik. Hij klapwiekte weg en we keken hem na totdat hij achter een huis was verdwenen.

7. Op de vlucht

De vrijheid was leuk, want we konden lekker ver rennen. We renden heen en weer, heen en weer door de tuin; het was heerlijk.

Ik huppelde achter Dodo aan en ik keek naar zijn oren die flapperden en naar zijn huppelstaartje. Daarna huppelde Dodo achter mij aan en hield ik plotseling in, waardoor hij over me heen duikelde. Hij rolde over de kop en ik had me toch een pret.

Maar opeens hoorden we de stem van Mo: 'Mama, Dodo en Stampertje zijn weg en Lorenzo ook. Zijn kooitje staat open en is leeg.'

We verstopten ons achter een struik en zagen tussen de takjes door Mo's hoofd boven de schutting uitsteken.

'Stampertje,' riep ze, 'Dodo, Lorenzo, waar zijn jullie?'

We gingen plat op de grond liggen en hielden onze adem in.

Toen het hoofd van Mo weg was, zei Dodo: 'We kunnen hier niet blijven, want ze gaan ons vast zoeken.'

'Ja,' zei Lorenzo, 'als ze ons zien, worden we gepakt. Ik zeg wel waar we naartoe moeten, want ik kan alles mooi overzien.'

We renden door de tuinen totdat we bij de straat kwamen.

'Pas op,' zei Lorenzo vanuit een boom, 'er komen mensen aan. Verstop je onder een auto, daar zijn jullie voorlopig veilig.'

We gingen snel onder een geparkeerde auto liggen en ik gluurde de straat in, waar Mo en haar moeder en nog meer mensen naar ons zochten.

'Stampertje, waar ben je nu?' riep Mo wanhopig.

'Kom alsjeblieft terug, Stampertje, Dodo, Lorenzo!'

Ik kreeg bijna medelijden met haar, want haar stem klonk zo verdrietig.

Ik heb nog vaak aan dat moment gedacht, want het was de laatste mogelijkheid om terug te gaan.

Maar we genoten zo van onze vrijheid en van de ruimte om ons heen, dat we ons schuil hielden en ervandoor gingen toen we de kans kregen.

We huppelden door de straten, terwijl Lorenzo boven ons vloog en aanwijzingen gaf.

Maar ook hij kon niet voorkomen dat onverwacht mensen opdoken en naar ons wezen.

'Konijnen, er lopen konijnen op straat,' riepen ze.

We renden wat we konden en we letten al helemaal niet meer op Lorenzo, zo bang waren we.

Hoe konden we ook weten waar we naartoe moesten? We kenden de straten niet, we kenden de stad niet. We renden maar door en het werd steeds drukker. We glipten tussen mensenbenen door en langs grijpende handen heen.

We hoorden mensen gillen, we zagen mensen wijzen. We waren midden in een winkelcentrum terechtgekomen en we holden maar door. Plotseling stonden we op een roltrap in een warenhuis en hoorde ik Lorenzo gillen: ‘Wat een sukkels zijn jullie. Hoe komen we hier ooit weer uit?’

8. In het warenhuis

We kwamen op de afdeling met vakantieartikelen en daar schoten we een tent in.

We kropen huiverend tegen elkaar aan en hielden onze adem in.

Mijn hart bonkte zo dat mijn hele lijf op en neer ging. Ik spitste mijn oren en hoopte maar dat niemand ons de tent had zien invluchten.

'Stampertje,' piepte Dodo, 'ik ben zo vreselijk bang dat het slecht met ons afloopt.'

'Stil nou,' zei ik, 'we schieten niets op met bang zijn. We moeten op onze hoede blijven en vertrouwen hebben in een goede afloop.'

Ik dacht aan de woorden van duif Diederik. Ja, vertrouwen moest je hebben en geloof in eigen kunnen.

'Waar is Lorenzo?' vroeg Dodo.

'Maak je maar niet druk om hem,' hijgde ik nog na, 'hij redt zich wel, want hij kan vliegen.'

Ik draaide mijn oren naar de tentopening en kreeg medelijden met Dodo. Hij had geen oren die je kon spitsen, hij had geen oren die je kon draaien. Ik wel en ik hoorde mensen over ons praten.

'Heb je het gezien?' vroeg een vrouw. 'Er renden net twee konijnen langs ons heen.'

'Ja, ja,' zei een man, 'en dat moet ik geloven. Ze waren zeker op zoek naar een nieuw badpak?'

'Ach, hou toch op,' zei de vrouw, 'je gelooft me ook

nooit. Ik zag echt konijnen en ze waren niet op zoek naar een badpak. Konijnen houden helemaal niet van zwemmen.'

'Maar ze houden zeker wel van winkelen, ha, ha,' lachte de man.

'Ik zag ze echt of je het nu gelooft of niet,' zei de vrouw.

Ik hield mijn adem in. Ik hoopte maar dat ze niet had gezien dat we een tent waren ingevlucht.

'Wat moeten we doen?' piepte Dodo.

'Ssst,' siste ik, 'we moeten ons doodstil houden en wachten totdat alle mensen weg zijn.'

Ik had het nog niet gezegd of er gluurde een jongensgezicht naar binnen.

'Mam,' zei hij, 'er zitten konijnen in deze tent.'

'Kom Fritsje,' zei een vrouwenstem, 'praat nou geen onzin.'

'Maar ze zitten er echt,' zei Fritsje. 'Krijg je die erbij als je de tent koopt?'

'We kopen geen tent en ook geen konijnen,' zei de vrouw.

Fritsje trok zijn hoofd terug en even later hoorde ik hem zeggen: 'Mama, in deze tent zitten geen konijnen, maar een vogeltje. Ik pak hem wel, dan kun je het zelf zien.'

'Kom onmiddellijk die tent uit,' riep zijn moeder.

'Mama!' schreeuwde Fritsje, 'mama, die rotvogel bijt me, mama help!'

We waren zo nieuwsgierig geworden dat we onze angst vergaten en naar de opening van de tent kropen. We gluurden naar buiten en zagen dat de tent naast ons wild bewoog, alsof er werd gevochten.

'Laat die tent staan!' riep de vrouw. 'Fritsje, wat ben je in 's hemelsnaam aan het uitspoken?'

'Auw, auw!' huilde Fritsje, 'ga weg, rotbeest.'

De tent stortte in, maar Lorenzo wist net op tijd door de uitgang te glippen. Hij fladderde piepend door het warenhuis en ging boven op een lamp zitten.

Fritsje kroop onder de tent uit en riep: 'Zie je wel! Er zat een vogel in de tent. Bloedt mijn hoofd?'

'Ach, jongen toch,' zei zijn moeder. 'Dit is geen warenhuis, dit is een gekkenhuis. Hoe halen ze het in hun hoofd om dieren in tenten te stoppen. Ik ga er wat van zeggen.'

Fritsje keek angstig naar een grote tent.

'Misschien zit daar wel een tijger in,' zei hij.

'Waar is de chef?' riep de vrouw, terwijl ze Fritsje met zich meetrok.

Dodo en ik kropen snel naar een kledingrek en verstopten ons eronder.

Kort daarop kwamen Fritsje en zijn moeder terug met een man.

'Vogels en konijnen, dat kan echt niet, mevrouw,' zei de man.

'Kijk dan zelf,' zei Fritsje.

De chef stak zijn hoofd in de tent.

'Vreemd,' mompelde de man, 'ik zie geen konijnen, maar er liggen wel een paar keuteltjes.' Plotseling keek Fritsje ons recht aan.

'Daar zijn ze!' riep hij en hij liep op ons af.

De chef was uit de tent gekropen en ging achter Fritsje aan.

‘Konijnen,’ mompelde hij. ‘Ik werk hier al twintig jaar en ik heb de gekste dingen gezien, maar dit slaat alles.’

Ik schoot weg, maar Dodo bleef als versteend onder het rek met kleren zitten.

De chef greep hem in zijn nekvel en hield hem omhoog. Dodo hing slap aan zijn hand, trappelde met zijn achterpoten en kreunde zachtjes.

‘Ik vind het een schande,’ zei Fritsjes moeder. ‘Het is hier toch geen dierentuin.’

‘Mevrouw, dit is onverklaarbaar’ zei de chef, terwijl zijn hoofd rood aanliep.

‘U mag een konijn niet zo beethouden,’ zei Fritsje. ‘U moet hem onder zijn kontje vasthouden, dierenbeul. Kijk eens mam, zo’n leuk konijntje, mag ik hem hebben?’

‘Geen denken aan,’ zei zijn moeder en op dat moment vloog Lorenzo naar beneden, daalde boven op de chef neer en pikte hem in zijn hoofd.

‘Help!’ riep de chef.

Van schrik liet hij Dodo los.

‘Daar heb je die rotvogel weer,’ riep Fritsje.

‘Wegwezen!’ piepte Lorenzo, maar Dodo bleef als verdoofd op de grond zitten.

Fritsje ging naar hem toe en pakte hem op.

‘Zo moet je hem vasthouden,’ zei hij. ‘Een hand in zijn nek en een onder zijn kontje.’

Maar toen hij Lorenzo op zich af zag komen, liet hij Dodo hard op de grond vallen.

‘Rennen, suf konijn,’ piepte Lorenzo, ‘rennen nu het nog kan.’

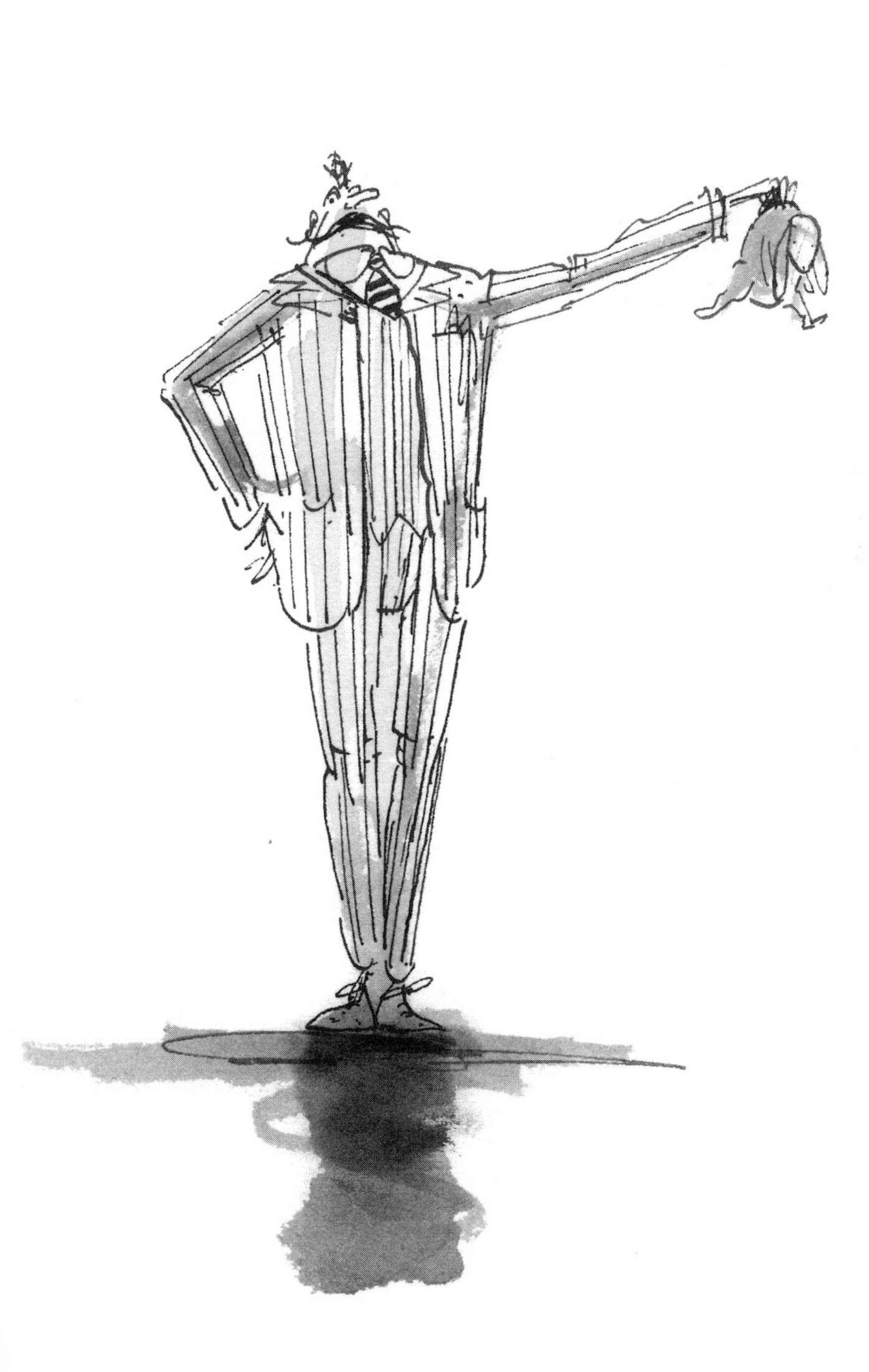

Eindelijk was Dodo uit zijn verdoving ontwaakt en huppelde naar de roltrap.

'Vlugger, vlugger,' riep ik, terwijl ik achter Dodo aanrende.

Hals over kop vluchtten we de roltrap af en het warenhuis uit.

'Deze kant op,' riep Lorenzo, die boven ons vloog.

We renden ervandoor, totdat we bij een grasveldje kwamen, waar we de struiken indoken.

9. Afscheid van Lorenzo

We lagen uit te hijgen tussen de struiken en ik dacht aan de strelende handen van Mo.

Ik dacht aan ons voederbakje, dat elke dag werd bijgevuld en ik dacht aan ons drinkflesje dat elke dag met fris water werd gevuld. Ik dacht aan ons hok met vers hooi en knapperig stro en ik had spijt, zo vreselijk veel spijt.

'Er moet een plek zijn waar alles beter is,' zei Lorenzo. 'We mogen de moed niet opgeven.'

'Jij hebt makkelijk praten,' zei Dodo. 'Jij kunt lekker rondfladderen, jij kunt altijd een veilig plekje vinden. Maar wij moeten voortdurend uit de handen van de mensen zien te blijven. Wij worden opgejaagd, achtervolgd, nagewezen en uitgelachen.'

'Kun jij ons niet optillen, net zoals duif Diederik?' vroeg ik.

Lorenzo moest hard lachen.

'Ik ben lang niet zo sterk als Diederik,' zei hij, 'dat lukt me nooit.'

'Je kunt het toch proberen,' zei Dodo. 'Je moet vertrouwen hebben en erin geloven.'

'Oké,' zei Lorenzo, 'ik zal het proberen, maar eerlijk gezegd geloof ik er niet in.'

Hij vloog naar Dodo toe en greep hem in zijn nekvel.

Dodo nam een aanloop, wapperde met zijn oren en

riep: ‘Ik ben zo licht als lucht.’

Lorenzo trok wat hij kon, maar Dodo kwam geen centimeter omhoog.

‘Het lukt echt niet,’ zei hij. ‘Je bent veel te zwaar, hoe licht je jezelf ook denkt.’

‘Probeer het eens bij Stampertje, die is lichter dan ik,’ zei Dodo.

‘Laat maar,’ zei ik. ‘Ik geloof er niet in en ik heb er ook geen vertrouwen in.’

‘Ik weet wat beters,’ zei Lorenzo. ‘Blijven jullie hier, dan ga ik de omgeving verkennen. Er moet in de buurt vast een plek zijn waar we niet steeds worden verjaagd. Misschien vind ik een bos of een weiland of uitgestrekte graanvelden waar we ons kunnen verstoppen.’

‘Dat lijkt mij ook een beter idee. Maar vergeet niet waar we zijn en vergeet niet dat we op je wachten,’ zei ik bezorgd.

‘Nooit, nee nooit zal ik jullie vergeten,’ zei Lorenzo en hij vloog weg en verdween uit ons zicht.

Het duurde uren voordat Lorenzo terug was. Hij kwam opgewonden naar ons toe vliegen en zei: ‘Ik heb haar gevonden, ik heb haar gevonden!’

‘Waar heb je het over?’ vroeg ik. ‘Lorenzo, heb je een mooi plekje voor ons gevonden?’

‘Ik heb … ik heb …’ zei Lorenzo en hij zweeg.

‘Wat voor haar heb je gevonden?’ vroeg Dodo schamper. ‘Konijnenhaar, mensenhaar, paardenhaar?’

Lorenzo keek ons lang aan en zei toen: ‘Ik vind het moeilijk om te vertellen, maar ik heb …’

‘Ik snap het al,’ zei ik, ‘je hebt Lorenza gevonden.’

'Waar hebben jullie het over?' vroeg Dodo. 'Wat is er zo bijzonder aan haar?'

Soms vond ik Dodo een erg dom konijn, want ik snapte meteen wat Lorenzo bedoelde.

'Ik heb mijn vriendin gevonden,' zei Lorenzo. 'Ik vloog boven de stad en ineens zag ik het jongetje en zijn moeder, die Lorenza van mij hebben afgepakt. Ik ben ze gevolgd tot hun huis en daar zag ik mijn Lorenza in een kooitje zitten.'

'Fijn voor jou,' zei Dodo verdrietig, 'heel fijn voor jou. Nu laat je ons zeker in de steek om bij je liefje te gaan wonen?'

Lorenzo zei niets, maar ik wist dat hij zijn besluit al had genomen.

'Doe wat je doen moet,' zei ik. 'We begrijpen je, maar we zullen je erg missen.'

'Dank je wel, Stampertje,' zei Lorenzo. 'Het is erg belangrijk voor mij dat jullie me begrijpen en het is ook erg moeilijk om jullie te verlaten.'

'Ja, ja,' zei Dodo bitter, 'het zal wel, maar ik zou nooit mijn vrienden in de steek laten, nooit van mijn leven.'

'Dodo, ik kan echt niet anders,' zei Lorenzo. 'Vergeef me. Ik hoop dat jullie vinden wat jullie zoeken en dat jullie heel gelukkig worden. Alsjeblieft Dodo, zeg nog iets vriendelijks voordat ik wegga.'

'Mmm,' bromde Dodo, 'sorry hoor, maar het doet me heel veel pijn om zo uit elkaar te gaan. Alles gaat heel anders dan ik me had voorgesteld. Het valt allemaal zo erg tegen.'

'Het doet mij ook pijn, geloof me,' zei Lorenzo.

‘Ga nu maar,’ zei ik, ‘wij redden ons wel.’

We namen uitgebreid afscheid en keken Lorenzo na, toen hij wegvloog om naar zijn geliefde Lorenza te gaan.

‘Hij heeft in ieder geval gevonden wat hij zocht,’ zei ik. ‘Maar ik zal hem heel erg missen.’

‘Ik ook,’ zei Dodo.

Die nacht lagen we onder een mooie sterrenhemel, maar ik dacht niet na over de oneindigheid van het heelal. Ik dacht aan Lorenzo en hoe het nu verder moest met ons.

10. Dodo is verliefd

Dagenlang durfden we de struiken niet uit. We leefden van gras en blaadjes en van het water dat in plasjes op het veldje lag.

We misten Lorenzo heel erg. We hielden echt van hem. Bovendien had hij ons de weg kunnen wijzen naar een beter plekje.

Na drie dagen besloten we om verder te trekken. Niet overdag als het licht was, maar 's nachts in het donker.

We huppelden maar wat rond, in de hoop een plekje te vinden waar we gelukkig en vrij konden zijn. Maar hoe we ook zochten, het lukte ons maar niet om die ellendige stad uit te komen.

Op een dag, het was ochtend en het begon net licht te worden, liepen we over een paadje langs tuinen. Toen ik bij de straat kwam, vroeg ik: 'Welke kant zullen we opgaan?'

Ik kreeg geen antwoord.

'Dodo?' zei ik. Ik keek om me heen, maar ik zag hem nergens.

'Dodo!' riep ik geschrokken. 'Dodo, waar ben je?'

Ik ging terug het paadje op en toen zag ik hem doodstil bij een tuintje staan.

'Dodo!' riep ik. 'Wat doe je daar? Kom toch.'

Maar Dodo bleef roerloos zitten, alsof hij me niet eens had gehoord. Ik was bang dat hij ter plekke een hartstilstand had gekregen, zo stilletjes zat hij erbij.

Pas toen ik naast hem stond, zag ik wat er aan de hand was. Het voelde alsof er een pijl door mijn hart werd gestoken. Dodo staarde, met een heel vreemde blik in zijn ogen, naar een hangoorkonijn in de tuin. Het zat in een tuinhok en keek met eenzelfde soort vreemde blik naar Dodo.

Alle konijnenkeutels nog aan toe, dacht ik, het zal toch niet waar wezen!

Maar het was wel waar: Dodo had een aanval van liefde op het eerste gezicht.

'Dodo!' riep ik, 'zeg alsjeblieft iets!'

Hij draaide zijn kop naar me toe en zei: 'Stampertje, lieve Stampertje, het spijt me.'

Ik werd er radeloos van. 'Waar heb je het over?' riep ik uit. 'Wat spijt je?'

'Weet je wat ze tegen me zei?' vroeg Dodo en weer keek hij me aan met zo'n zwijmelende blik die me mateloos begon te irriteren.

'Ze zei: "Wat een prachtige oren heb je." Zoiets heeft nog nooit iemand tegen me gezegd. En toen zei ik: "Jouw oren zijn ook heel mooi."'

'Dodo,' zei ik streng, 'hou op met die onzin. We moeten verder, we zijn op de vlucht. We hebben geen tijd voor dit soort gezanik over oren. Verder moeten we, verder!'

'Maar Stampertje,' zei Dodo met een verdrietig toontje in zijn stem, 'begrijp je het dan niet?'

'Dodo, hou op met die onzin. Wat moet ik begrijpen?'

'Onze vlucht leidt nergens toe,' zei Dodo zacht. Hij

zuchtte heel diep.

'Ik denk, Stampertje, ik denk … Ik hoop dat je het me vergeeft, maar Stampertje, ik denk …'

'Dodo, hou op met dat gestamel en zeg wat je denkt, suf konijn!'

'Ik snap best dat je boos op me bent,' zei Dodo, 'en ik hoop dat je het me ooit vergeeft. Ik had ook nooit gedacht dat ik zoiets zou doen. Ik veroordeelde Lorenzo nog toen hij van ons wegging. Maar begrijp me dan toch. Ik denk dat ik gevonden heb waar ik mijn hele leven naar op zoek ben geweest.'

'Hé, liefie met je mooie oren, kom je nog?' klonk het vanuit het hok in de tuin.

Dodo draaide zijn koppie naar het beest in de tuin en het was voor het eerst dat ik een konijn heb zien blozen. Het was geen gezicht!

Arme Dodo, dacht ik. Hij heeft zijn hart verloren.

'Ik moet hier blijven, Stampertje,' zei Dodo. 'Ik hoop dat jij ook vindt wat je zoekt.'

Hij likte me over mijn neus en huppelde de tuin in.

'Ik zal je nooit meer plagen met je hangoren,' probeerde ik nog.

Dodo draaide zich om en zei: 'Daar komt het echt niet door, Stampertje. Je hoeft jezelf niets te verwijten.'

De deur van het huis ging open en er kwam een meisje naar buiten.

'Mam!' riep ze. 'Kijk eens, er is een konijn komen aanlopen.'

Een vrouw liep de tuin in. 'Ach, wat een leuk beestje. Zie je, hij vindt ons konijn leuk. We zetten ze bij elkaar in het hok.'

Ze tilde Dodo op en zette hem bij het andere konijn in het hok. De twee kropen dicht tegen elkaar aan. Ik kon het niet langer aanzien. Ik huppelde het paadje af en kroop op straat onder een geparkeerde auto. Daar heb ik zitten huilen totdat ik in slaap viel.

11. Helemaal alleen

Ik stond er nu helemaal alleen voor en ik wist niet wat ik doen moest. Teruggaan naar het huis van Mo? Daar was ik veilig en werd ik goed verzorgd. Maar ik had geen idee welke richting ik op moest om het huis te vinden.

En bovendien: wat moest ik daar zonder mijn vriendjes? Maar … waren het wel mijn vriendjes? Ze hielden niet van mij, anders hadden ze me nooit in de steek gelaten. Nee, er was niemand die van me hield en nu was ik een zwerfkonijn geworden. Ik sliep onder geparkeerde auto's, in leegstaande huizen, onder bruggen en in dozen. Ik was voortdurend op de vlucht en nergens vond ik rust. Het was een wonder dat ik af en toe nog wat voedsel vond om mezelf in leven te houden.

Ik was ten einde raad en soms dacht ik er in alle ernst over na om me maar te laten oppakken. Maar de angst won het toch, de angst te worden opgepakt door iemand die in mij een kerstkonijn zag. Steeds als ik op het punt stond me over te geven, zag ik mezelf pruttelend in een braadpan liggen.

Ik moest verder, ik mocht de moed niet verliezen. Ooit zou ik een plek vinden waar alles beter was, waar ik niet werd opgejaagd als een stuk wild. Ik had me de vrijheid heel anders voorgesteld. De vrijheid was eng en helemaal niet vrij!

‘Kijk,’ zei ik tegen mezelf. Ik begon steeds meer in mezelf te praten, omdat ik niemand anders had. ‘Als het hier niet vrij is, is dit niet de vrijheid. Snap je wel.’

‘O ja,’ zei ik tegen mezelf en ik dacht aan het kleine plaatsje waar ik ooit woonde en fantaseerde over de andere kant van de schutting.

‘Ik wist niet dat de andere kant van de schutting zo groot was,’ mompelde ik. ‘Het is zo groot als het heelal en er komt geen einde aan.’

Zo liep ik in mezelf te mompelen en soms betrapte ik me erop dat ik de vreemdste dingen zei.

‘We waren eerst aan deze kant van de schutting en toen gingen we naar de andere kant. Maar nu is de andere kant deze kant geworden en deze kant de andere kant. Waar zijn we nu?’

Ja, het begon echt te malen in mijn hoofd en soms was ik bang dat ik gek werd.

12. In de vrachtwagen

Op een dag had ik een rustig plekje gevonden in de struiken van een park. Het was mooi weer en vanuit mijn schuilplaats zag ik ganzen en eenden, die door mensen werden gevoerd.

De ganzen liepen als deftige dames door het park. Zij voelden zich hier thuis en op hun gemak, want zij werden door de mensen met rust gelaten. De mensen gingen zelfs voor ze aan de kant en ze kwamen met zakken brood om ze te voeren.

Zij hoorden hier, ik niet. Als ik nu tevoorschijn kwam, zouden de mensen me opjagen en nawijzen. Ach, zou ik ooit een plekje vinden waar ik met rust werd gelaten en voldoende voedsel kon vinden?

Plotseling hoorde ik een angstaanjagend gehijg, vlakbij. Eerst zag ik een natte, zwarte neus, daarna dreigende ogen en een grote bek vol glimmende tanden en een druipende tong.

Ik bleef roerloos zitten en keek verdwaasd in de nijdige ogen van dat monster. De hond begon woest te blaffen en draaide schuimbekkend om me heen. Net voordat hij wilde toehappen, sprong ik weg. Ik rende door het park, terwijl de hond blaffend achter me aankwam.

Net op tijd zag ik een vrachtwagen staan. Ik rende de laadplank op en net voordat de hond bij me was, sloot een man de vrachtwagen af, stapte in en reed weg.

De hond rende nog een tijdje blaffend achter de wagen aan, maar algauw zag hij in dat ik hem te snel was afgeweest.

13. Harrie

Ik weet niet hoelang de rit in de vrachtwagen duurde, want ik viel in slaap. Ik kreeg de gekste dromen. Dromen over vreselijke achtervolgingen, maar ook heel mooie dromen. Dromen waarin ik mijn eigen liefdeskonijn had gevonden, met wie ik tijdens warme zomernachten naar de sterrenhemel tuurde en fantaseerde over het oneindige heelal.

Ik werd wakker van gestommel in de laadruimte. Ik opende mijn ogen en zag een man met een grote doos in zijn armen. Toen hij de laadplank afliep, glipte ik naar buiten en huppelde er op goed geluk vandoor.

Ik was niet meer in de stad, maar in een dorp. Al snel vond ik een rustig gebied langs een rivier.

Een gebied met struiken en bomen. Daar heb ik enkele weken gewoond. Het was niet de plek die ik hoopte te vinden, maar ik was blij dat ik er niet voortdurend op de vlucht hoefde voor mensen. Ik vond er net genoeg voedsel om me in leven te houden. Er woonden dieren met wie ik een praatje kon maken, maar veel belangstelling hadden ze niet voor mij.

Op een dag kwam er een houtduif aanvliegen. Hij streek naast me neer en zei: 'Ik heb je al een paar keer alleen zien rondhuppelen. Nu vraag ik me af: wat doe je hier?'

Ik vertelde hem mijn verhaal. Over de wonderlijke ontsnapping over de schutting. Over de vlucht door de

stad en het bange avontuur in het warenhuis. Over Lorenzo die zijn geliefde Lorenza had gevonden en van ons was weggegaan. Over Dodo die verliefd was geworden op een hangoorkonijn. Over de hond die me bijna te pakken had en over mijn tocht in de vrachtwagen.

De duif luisterde aandachtig en ik was blij dat er eindelijk iemand was die mijn verhalen wilde aanhoren.

De duif, die Harrie heette, schudde zorgelijk zijn kop.

'Lieve hemel,' zei hij, 'ik kan mijn oren niet geloven, lieve hemel. En het is allemaal de schuld van duif Diederik.'

'De schuld van Diederik?' vroeg ik. 'Waarom is het de schuld van Diederik.'

'Lieve hemel nog aan toe,' zei Harrie. 'Zijn alle konijnen zo dom of ben jij een uitzondering? Hij heeft jullie toch aan de andere kant van de schutting gezet, terwijl er helemaal geen kans was op een beter leven? Hij heeft jullie toch overgehaald om te ontsnappen, terwijl hij moest weten dat een konijn niet in de stad thuishoort?

Hij heeft jullie toch aan je lot overgelaten? Lieve hemel nog aan toe.'

'Dat vind ik niet helemaal eerlijk,' zei ik. 'We wilden zelf weg om meer van de wereld te zien. Daar hadden we zo vaak over gedroomd en gefantaseerd. We wilden het zelf.'

'Maar lieve hemel nog aan toe,' zei Harrie. 'Jullie wisten toch niet waaraan jullie begonnen. Jullie hebben altijd gevangen gezeten, maar Diederik kende de wereld. Het is zijn schuld en dat trek ik me als mededuif erg aan. Het is toch niet te geloven hoe dieren soms met elkaar omgaan. Ik zal eens zien wat ik voor je kan doen, lieve hemeltje toch.'

Harrie vloog op en ik voelde me opgelucht, omdat ik eindelijk weer eens een fijn gesprek met iemand had gevoerd.

14. Als een engel

Dagen gingen voorbij en ik durfde niet van de plek langs de rivier weg te gaan.

Ik dacht vaak terug aan de tijd in het huis van Mo, samen met mijn vriendjes Dodo en Lorenzo. Ik was daar veilig en niet echt ongelukkig geweest. Ik kon er ook niets aan doen dat ik ernaar verlangde om meer van de wereld te zien.

Daar had ik nu meer van gezien, misschien wel meer dan me lief was. Het had geen zin om spijt te hebben, want daar schoot ik niets mee op. Ik hoopte dat voor Dodo en Lorenzo de vlucht over de schutting wel goed was afgelopen. Ja, ik hoopte echt dat zij wel gelukkig waren geworden, want dan was onze ontsnapping niet voor niets geweest.

Zie je, dacht ik, ik ben een goed konijn, want ik denk niet alleen aan mezelf. Ja, ik was een goed maar ongelukkig konijn. Het was een schrale troost dat ik een goed konijn was, maar het was een troost. Ik had ook een slecht en ongelukkig konijn kunnen zijn en dat was nog erger geweest.

Zo probeerde ik mezelf voor te houden dat mijn leven toch zin had. Soms nam ik me voor om opnieuw op zoek te gaan naar een beter plekje.

Ik was zo mager geworden dat ik bijna mijn angst voor mensen verloor. Ik hoefde niet bang te zijn om in de braadpan te eindigen, want er zat weinig vlees meer aan mijn botten. Ja, ik was er zo erg aan toe dat ik zelfs daarvoor niet meer geschikt was.

Maar juist op dat moment, toen alles verloren leek, daalde plots duif Diederik als een engel uit de hemel neer.

Ik zat aan de oever van de rivier te drinken, toen hij naast me kwam staan.

'Wel, wel,' koerde hij, 'eindelijk heb ik je gevonden.'

15. Nieuws van Lorenzo

'Ik ... ik ... g.. g.. geloof d.. d.. dat ik droom,' stotterde ik. Ik was zo verzwakt dat ik soms niet meer het verschil wist tussen droom en werkelijkheid.

'Zeg, zeg,' zei duif Diederik, 'kom tot jezelf, mal konijn. Ik heb stad en land naar je afgezocht en dat was beslist geen droomreis.'

'Hoe heb je me gevonden?' vroeg ik.

'Er wordt in de hele duivenwereld over je gepraat,' zei Diederik. 'Zeg op, zeg op, waarom heb je zulke rare verhalen over me verteld?'

'Wat bedoel je?' stamelde ik.

'Nou, nou,' zei Diederik, 'hou je nu niet van de domme. Alle duiven spreken schande over me, omdat ik jou en je vriendjes bijna de dood heb ingejaagd. Ja, zo wordt er over mij gesproken, terwijl ik jullie alleen maar heb willen helpen.'

Ik snapte niet wat duif Diederik bedoelde, maar langzaam drong het tot me door.

Duif Harrie had aan alle duiven die hij kende mijn verhaal verteld. Zo verspreidde het zich over het hele land, totdat Diederik het te horen kreeg.

'Vreselijk, vreselijk,' zei Diederik. 'Er werd zelfs gezegd dat ik jullie zomaar in je nekvel heb gegrepen en van metershoog midden in de stad heb gedropt. Hoe haal je het in je hoofd om zulke krankzinnige verhalen over mij te vertellen?'

‘Maar Diederik,’ zei ik, ‘dat heb ik nooit gezegd. Ik heb jou nergens de schuld van gegeven, echt waar, geloof me.’

‘Mmm, mmm,’ mompelde Diederik, ‘ik weet niet meer wat ik moet geloven. Maar ik wil mijn naam zuiveren, want die is te grabbel gegooid. Bovendien heeft je gevleugelde vriendje gevraagd om naar je op zoek te gaan.’

‘Wat bedoel je?’ riep ik. ‘Bedoel je dat … dat …?’

‘Nou, nou,’ riep duif Diederik, ‘je bent behoorlijk in de war, zeg. Ik heb het over je gevleugelde vriendje Lorenzo, die me eropuit heeft gestuurd om je op te halen.’

De tranen schoten in mijn ogen toen ik de naam Lorenzo hoorde.

‘Hoe gaat het met hem, waar is hij, is hij niet …?’

‘Rustig, rustig maar,’ zei Diederik, ‘het gaat goed met Lorenzo. Ik breng je naar hem toe als je wilt, of blijf je liever hier?’

‘Waar is hij dan?’ vroeg ik.

‘Hij is op een veilige plek, maar hij mist zijn oude vriendjes,’ zei Diederik. ‘Persoonlijk snap ik niet dat een vogel zich aan een konijn kan hechten, maar er is wel meer dat ik niet snap. Ik heb veel gereisd in mijn leven en dan zie je dingen waarvan je snavel openvalt. Ga je mee of ga je niet mee?’

Mijn hart sprong op van blijdschap en ik knikte heftig van ja.

Diederik greep me in mijn nekvel en tilde me op. Ik hoefde niet met mijn oren te wapperen, want ik was zo licht geworden dat hij me met gemak kon dragen.

En zo vloog ik kilometers aan de poten van Diederik door de lucht.

16. In het park

Duif Diederik vloog met mij over de stad naar een groot park waar veel dieren woonden. Daar zette hij me af midden tussen de herten, zwanen, ganzen, eenden, pauwen en geiten.

Al snel vloog Lorenzo op me af en ik was zo blij hem te zien dat ik hem bijna verpletterde onder mijn omhelzing.

'Lorenzo!' riep ik uit. 'Wat is er met jou gebeurd, wat doe je hier, oh ...Lorenzo, ik had niet gedacht dat ik je ooit nog terug zou zien.'

'Stampertje, alsjeblieft,' piepte Lorenzo, 'ik krijg bijna geen adem.'

Ik liet Lorenzo los en ik keek naar hem en keek naar hem en kon mijn ogen nauwelijks geloven.

'Goed werk, Diederik,' zei Lorenzo, 'ik had niet gedacht dat het je zou lukken.'

'Nou, nou,' zei Diederik, 'makkelijk was het niet, dat moet ik toegeven, maar ik heb voor hetere vuren gestaan.'

'Wat ben je mager geworden, Stampertje,' zei Lorenzo, 'kom mee, er is hier voedsel genoeg. Eerst wat eten, dan praten we verder.'

Lorenzo nam me mee naar de voederruimte waar ik de lekkerste zonnebloempitten vond die ik ooit had gegeten. Er was hooi en water in overvloed en ik at zoveel ik opkon.

Daarna was ik zo moe dat we aan praten niet meer toekwamen. Ik viel tussen het stro in een diepe slaap, waaruit ik pas aan het eind van de volgende ochtend ontwaakte.

Het duurde nog heel lang voordat ik besefte dat ik niet droomde, maar echt in een soort dierenparadijs terecht was gekomen.

17. Het verhaal van Lorenzo (2)

'S Middags, nadat ik lekker had gegeten, kwam Lorenzo bij me zitten en vertelde wat hem was overkomen.

'Ik kwam bij het huis waar Lorenza woonde,' zei hij. 'Ze zat in een kooitje in de kamer. Ik wachtte op het moment dat er geen mensen in huis waren en vloog door een open raam naar binnen. Met veel moeite lukte het me om het deurtje van haar kooi open te krijgen. Samen vlogen we naar buiten. We waren een paar dagen gelukkig samen, maar toen zei Lorenza: "Ik wil hier niet blijven."

"Waarom niet?" vroeg ik.

"Kijk om je heen, er is hier geen dwergpapegaai te bekennen," zei Lorenza.

Ik keek om me heen en zag duiven, zwaluwen, merels, spreeuwen en mussen.

"Er moet een land zijn waar we vandaan komen, waar de dwergpapegaaien als rijpe appels in de bomen zitten."

"Maar Lorenza," zei ik, "we hebben elkaar toch. Hier kunnen we ook gelukkig worden, we hoeven toch niet weg?"

"Er moet een land zijn waar we veel gelukkiger kunnen worden dan hier, waar het altijd warm is en waar de dwergpapegaaien als rijpe appels in de bomen zitten."

“Hou nou eens op over die rijpe appels,” zei ik, want ik had helemaal geen behoefte aan bomen vol met papegaaien.

“Dit land is veel te koud voor ons,” zei Lorenza. “Als je echt van me houdt, ga je met me mee. Al was het naar het eind van de wereld.”

“Dit meen je niet,” zei ik en ik werd nu echt een beetje boos. “Heb ik mijn liefde niet bewezen door met gevaar voor eigen leven naar je op zoek te gaan en je te bevrijden?”

Lorenza keek verongelijkt langs me heen en zei: “Als je niet meegaat, ga ik alleen.”

Er zat niet anders op dan met haar mee te gaan, op zoek naar het land van de dwergpapegaaien.

Het werd een lange reis. Dat moet ik Lorenza nageven, als ze ergens haar zinnen op had gezet, was ze er niet meer vanaf te brengen. En zo vlogen we dagen en dagenlang over bergen, bossen, steden en zeeën.’

‘En,’ vroeg ik, ‘hebben jullie het land gevonden?’

Lorenzo knikte bedroefd. ‘Er waren momenten waarop ik dacht dat ik ook gelukkiger zou worden in het land van de dwergpapegaaien. Als Lorenza gelukkig is, ben ik het ook, dacht ik.

Maar vanaf het moment dat we er aankwamen, ging alles mis. Ik bedoel: het ging mis met mij, niet met Lorenza. Ze was zo blij met de andere papegaaien dat ze nauwelijks tijd had voor mij. De hele dag zat ze te kwetteren en te fluiten, terwijl ik alleen op een tak zat en aan jullie dacht.’

‘Aan ons?’ vroeg ik verbaasd.

‘Ik kon niet wennen in dat vreemde land, hoe gek

dat ook klinkt,' zei Lorenzo. 'Ik miste jullie, vooral toen ik merkte dat Lorenza verliefd was geworden op een andere papegaai.'

'Na alles wat je voor haar had gedaan?' riep ik uit.

'Ik neem het haar niet kwalijk,' zei Lorenzo. 'Diep in mijn hart begreep ik het wel.'

'Toch begrijp ik het niet helemaal,' zei ik. 'Jij was toch tussen je eigen soort, waarom werd je niet verliefd op een ander papegaaitje?'

'Eigen soort, eigen soort,' zei Lorenzo. 'Jullie voelden veel meer aan als eigen soort dan al die dwergpapegaaien bij elkaar. Het zal de leeftijd wel zijn.'

Lorenzo keek me aan en zei: 'Ik kon niet verliefd worden op een ander dan Lorenza.'

'En toen?' vroeg ik.

'Op een dag besloot ik het voor gezien te houden, want ik had geen zin om daar weg te kwijnen. Zonder afscheid te nemen van Lorenza ben ik teruggevlogen.'

'Tjonge, wat een verhaal,' zei ik. 'Weet je, eigenlijk ben ik blij dat het zo is gelopen, want ik heb jou ook heel erg gemist.'

En toen glimlachte Lorenzo zo hartverwarmend, op een manier waarop alleen dwergpapegaaien kunnen glimlachen.

'Ik ben zo blij dat je dit zegt, Stampertje,' zei hij. Hij kroop dicht tegen me aan en ik likte zachtjes zijn veren.

18. Dat zoiets bestond!

De kinderboerderij was erg leuk, omdat er zo veel verschillende dieren bij elkaar woonden. Ik zou niet tussen alleen maar konijnen willen leven, want die letten zo op elkaar.

Het was heerlijk om languit in het gras te liggen en naar de andere dieren te kijken. Ik had nog nooit een pauw gezien, en hier waren er wel vier. Ik keek mijn ogen uit, toen een mannetjespauw zijn staart als een waaier openvouwde. Dat zoiets bestond! Dat had ik nooit kunnen bedenken.

De herten vond ik ook heel leuk, vooral de kleintjes die zo grappig over het gras sprongen.

Er woonden allerlei soorten eenden, ganzen, zwanen en duiven.

Het ontbrak ons aan niets op de kinderboerderij. Nou ja, aan niets ... Ik dacht nog vaak aan Dodo en ik miste hem.

Toen op een dag Diederik de duif op bezoek kwam en aan me vroeg of ik gelukkig was, zei ik: 'Diederik ik ben heel blij dat je me hier naartoe hebt gebracht, maar er ontbreekt toch nog iets aan mijn geluk.'

'Wel, wel,' zei Diederik, 'het is ook altijd wat met dieren die niet kunnen vliegen. Ik denk dat die nooit echt gelukkig kunnen worden, omdat ze geen vlerken hebben om het luchtruim te doorklieven. Leg je daar nu maar bij neer, ik kan je helaas geen vleugels bezorgen.'

'Nee Diederik,' zei ik, 'daar gaat het niet om. Herinner je je Dodo nog, mijn vriendje dat je samen met mij over de schutting hebt geholpen?'

'Zeker, zeker,' zei Diederik, 'hoe zou ik die ooit kunnen vergeten? Wat is daarmee?'

Ik vertelde wat er met Dodo was gebeurd. Dat ik hem had moeten achterlaten, omdat hij verliefd was geworden en dat ik zo graag wilde weten hoe het met hem ging.

Diederik hoorde mijn verhaal aan en zei: 'Wel, wel, ik zal het eens aan de andere duiven voorleggen. Als ze dan nog niet overtuigd zijn van mijn goede bedoelingen ...' Hij keek me raadselachtig aan en vloog weg.

19. Over Dodo en Plof

Dagen gingen voorbij zonder dat ik iets van Diederik hoorde, maar op een dag vloog hij opgewonden op me af.

'Hoor, hoor, ik heb hem gevonden!' riep hij uit. 'Die Dodo van jou heeft samen met zijn geliefde een nest jonge konijntjes, het zijn er vijf.'

'Wat zeg je me nou!' riep ik uit. 'Waarom is ons dat nooit gelukt?'

'Hallo, hallo,' zei duif Diederik, 'wil je dat ik verder vertel of moet ik me in jullie liefdesleven gaan verdiepen?'

'Nee, nee, vertel verder,' zei ik.

'De mensen willen de jonge konijntjes verkopen of weggeven als ze bij de moeder weg kunnen en daar zijn Dodo en Plof heel verdrietig om.'

'Plof?' vroeg ik en ik kon mijn lachen niet inhouden. 'Heet het liefje van Dodo Plof?'

'Nou, nou,' zei Diederik streng, 'ik dacht dat je zo veel om je vriendje gaf? Je zit een beetje dom te grinniken, terwijl hij en ... Plof diep ongelukkig zijn, omdat ze hun kroost dreigen kwijt te raken.'

'Sorry,' zei ik, 'zo bedoelde ik het niet. Ik vind het heel erg voor hen, echt waar.'

Lorenzo was bij ons komen zitten en zei: 'Je moet ze helpen.'

'Ik, ik?' vroeg Diederik. 'Moet je eens goed luisteren, Lorenzo. Dodo is veel te zwaar. Ik kon hem al nauwelijks over de schutting tillen en nu woont hij hier een paar kilometer vandaan. Bovendien is Plof nog dikker dan Dodo, die krijg ik nooit de lucht in.'

'Ik help je wel,' zei Lorenzo.

'Jij, jij, laat me niet lachen. Je krijgt nog geen jong konijn omhoog, laat staan zo'n knoeperd als Plof. Nee, ik heb een ander idee.'

20. Nog lang en gelukkig

Twee dagen later werd duidelijk wat het plan van Diederik was. De hemel was helder en ik zag ze al van ver aankomen. Dodo op de rug van een gans, Plof op de rug van een zwaan en de jonge konijntjes bungelden aan de poten van vijf duiven.

Het was een prachtig gezicht. Lorenzo en ik en alle dieren van het dierenpark jubelden en juichten.

Langzaam maar zeker kwamen ze dichterbij en ze staken zo mooi af tegen de helderblauwe hemel. Het was net een film.

De dieren landden zacht. Dodo sprong meteen op me af. Wat was ik blij om zijn flaporen te zien. Nee, nooit zou ik daar nog een grapje over maken.

Ik had nooit kunnen denken dat alles toch nog goed zou komen.

Nu hoop ik maar dat we hier met zijn allen nog lang en gelukkig zullen leven. Ik heb er wel vertrouwen in.

De meester is weg!

Meester Freek van groep zes verschijnt niet op school. Wat is er aan de hand? Waarom wordt er zo geheimzinnig over gedaan? Anne-Eva, Ricardo en Vera gaan het uitzoeken. Ze bellen eerst de vrouw van de meester op, maar ook zij doet een beetje vreemd. Dan kunnen de kinderen nog maar één ding doen. Op een woensdagmiddag fietsen ze stiekem helemaal naar de stad waar hun meester woont ...

Kampioen Superbraaf

Sarah en de kinderen uit haar klas doen mee aan de wedstrijd van het allerbraafste kind. Er zijn leuke prijzen te verdienen voor Kampioen Superbraaf! Sarah bedenkt mooie plannen waarmee ze veel punten kan verdienen. Maar het is niet gemakkelijk om altijd braaf te zijn, behalve natuurlijk voor Aafje-Braafje. Bovendien deelt een geheime jury telkens strafpunten uit én speelt de juf vals. Dan bedenken de kinderen van de klas een plan om de juf een lesje te leren.

Vals spel in het papierkasteel
Merel krijgt met haar klas een rondleiding door papierfabriek De Hermelijn. Nou ja, papierfabriek ... het is eigenlijk meer een papierkasteel! Meneer Roderik vertelt de kinderen van alles over de reusachtige machines en over de wedstrijd tussen de twee papierfabrieken in het land. Wie maakt het koninklijkste watermerk voor koning Milvus? Als Merel in de fabriek verdwaalt, doet ze in één van de torens een vreemde ontdekking.

Vleugeltjes
'Ik mag nóóit naar leuke feestjes. Ik mag nóóit laat opblijven. Ik mag nóóit ...' Maddalena is razend op haar grote zussen. Ze mag nooit eens met hen meedoen, helemaal nooit. Haar zussen doen net of zij een klein kind is. Maar nu heeft ze er genoeg van! Ze gaat een lijst maken van alle dingen die ze niet mag en als die lijst vol is dan ... Wat ze dan gaat doen, weet Maddalena nog niet precies. Misschien loopt ze wel weg!